Jadyn
A
T
J

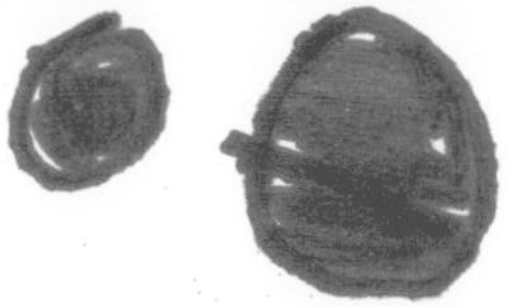

A Emma

A

Zak

Emma Wane

Joglyn W Malcum

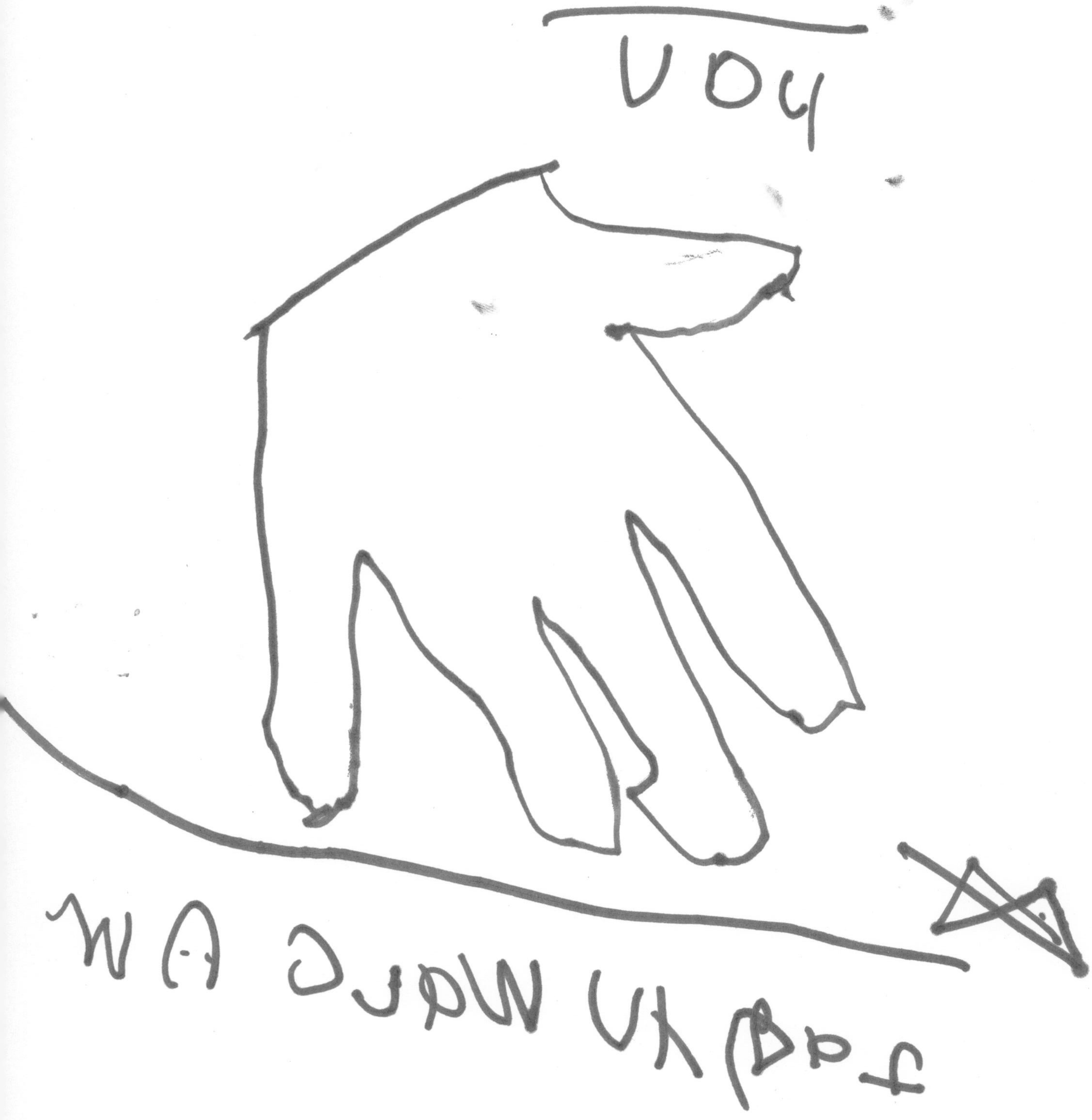
you

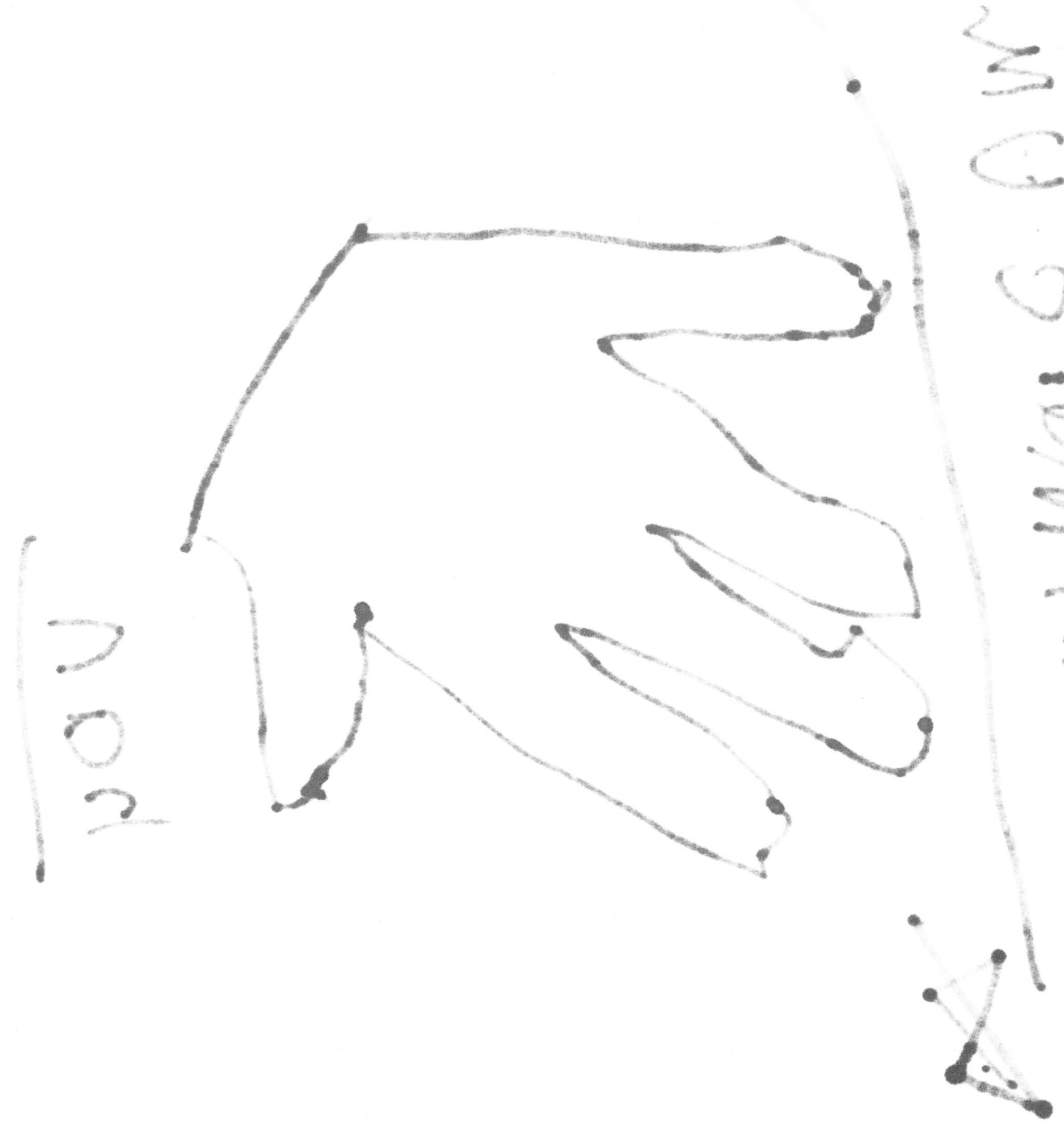

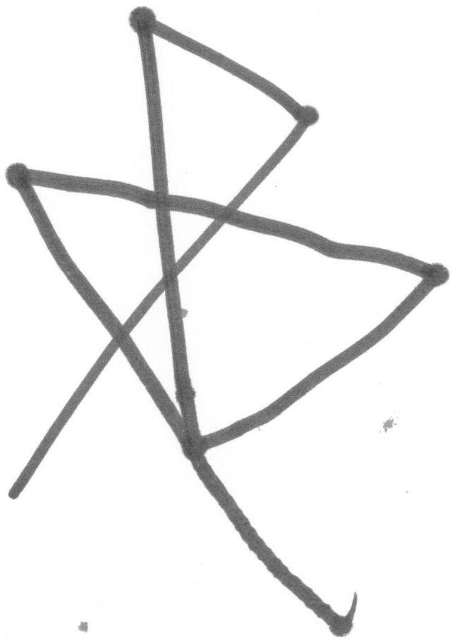

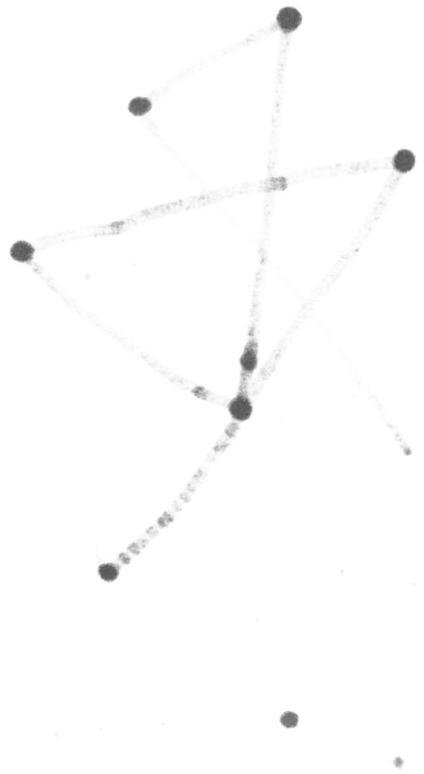

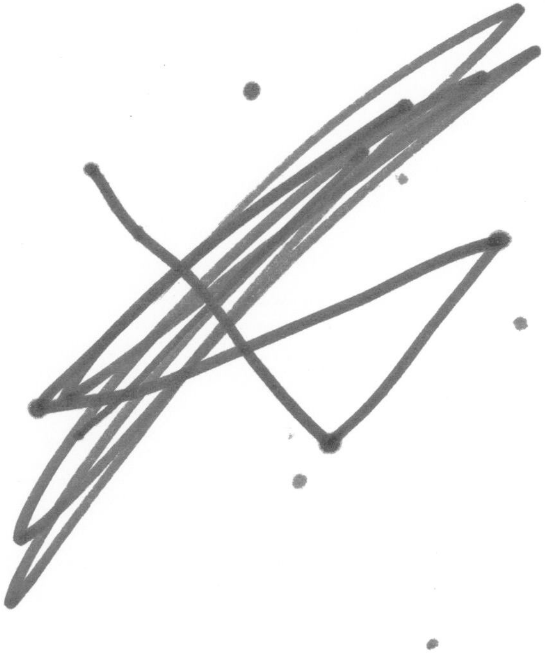

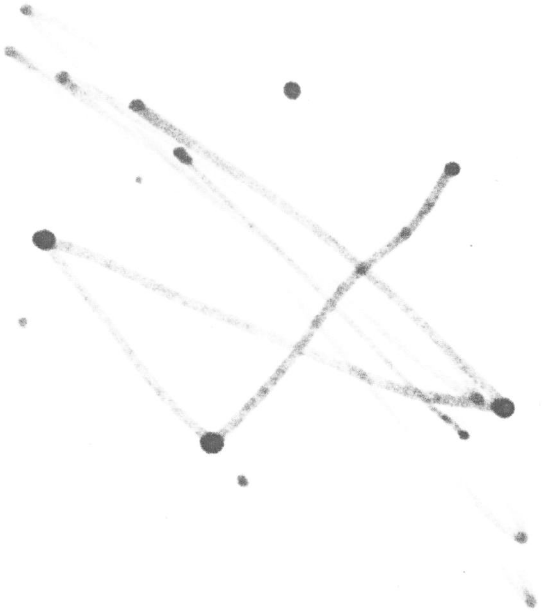

30

10 11 12 13 14 15 16

17 18 19 20 21 22 23

24 25 26 27 28 29

B